从小爱科学 有趣的物理

小仙女的理想世界~

物质的特性

文／（韩）柳慧仁　图／（韩）郭载然　译／王国英

CNS
中南出版传媒
PUBLISHING & MEDIA

湖南少年儿童出版社
HUNAN JUVENILE & CHILDREN'S PUBLISHING HOUSE

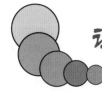

让孩子们的好奇心
飞翔起来

    影子是怎样产生的？生暖炉为什么能让屋子变热？冰鞋为什么能在滑冰场上滑行？磁铁为什么能将铁制玩具吸走？地球上无论哪个地方的人们为什么都能稳稳当当地站在地面上……大千世界无时无刻不在吸引着孩子好奇的目光。孩子的小脑袋里总会接二连三地蹦出各种各样的问题。我们在日常生活中常常遇到的这些再自然不过的事情，在孩子那里，却成了无数个"为什么"的来源，而且，这些看似平常的"为什么"，往往能够问倒家长。

    其实，这一个个"为什么"正是孩子认识世界、了解世界的开始。如果经过很好的激发和引导，孩子最初的好奇心往往可以转变成他们对某种事物的兴趣；而孩子的求知欲和探索精神也正是在一次次地提出"为什么"且一次次找到答案的过程中培养起来的。因此，我们不妨静下心来，听听孩子们内心的疑问，再带着他们去观察，去动脑筋，去寻找答案。

    "从小爱科学"这套丛书，其素材来源于日常生活，而且恰恰是孩子心中最容易产生疑问的那些事物。这套书的妙处在于，它是以讲故事的方式向孩子们讲述科学知识的，文字朗朗上口、充满童真。那些故事中的情节，很多孩子都曾亲身经历，因此极易产生共鸣：原来他们在游乐场也遇到过这样的情况，原来他们在家也问过这样的问题，原来这个问题是这么回事呀！

    这套丛书的妙处还在于，它是以孩子最喜爱的图画书的形式来讲述科学知识的。每一段简单的文字都配上了可爱的图画，将科学知识融于其中，浅显易懂、趣味十足，将孩子牢牢地吸引。

科学图画书该如何阅读呢？就"从小爱科学"这套丛书而言，家长可以根据孩子的年龄、阅读经验、知识掌握情况来进行适当的指导和辅助阅读。年龄小一些、阅读经验还不丰富的孩子，家长可以与他们进行亲子共读；而大一些的孩子可以先自己阅读，遇到不懂的地方，再与家长来讨论。

　　在这套书的最后，还有一个附加的部分"我想探索更多"。这个部分不仅对前面故事里所涉及的科学知识进行了总结，还对科学原理进行了更深一层的阐释，提到了更多相关的知识点，举出了更多的实例。较之前面的故事部分，这个部分理解起来难度要大一些，家长可以根据孩子的实际情况，让孩子有选择地进行阅读：对于年龄大一些的孩子来说，可以作为他们扩充知识面的素材；对于年龄较小的孩子来说，可以暂时先不阅读。这个部分还有一个好处，就是可以作为家长的重要参考资料。在与孩子进行亲子共读之前，家长可以先做做功课，因为只有"知道更多"，才不会被孩子问倒。

　　一起来阅读"从小爱科学"丛书吧！发现和了解生活中的科学，思考和探索科学的原理，让孩子们的好奇心飞翔起来！

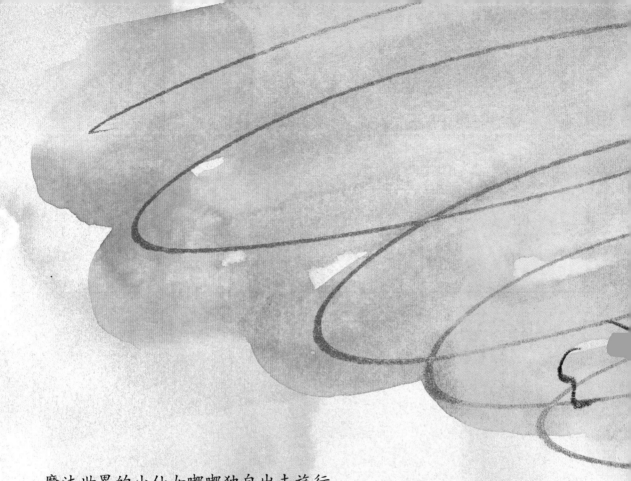

魔法世界的小仙女嘟嘟独自出去旅行。
她扑扇着一双轻盈小巧的翅膀，
兴致勃勃地寻找着她心中的理想世界。
"我要找到最舒适、最适合生活的王国。"
嘟嘟暗自想着，
突然一阵龙卷风刮过，
嘟嘟的身子不由得往下掉。
嘟嘟哇哇大叫起来："救命啊，救救嘟嘟啊！"

"奇怪，怎么一点儿也不疼？"
嘟嘟不知道掉在了什么东西上面。
她一骨碌爬起来，感觉身体开始嘭嘭地弹跳起来。
"这里究竟是哪儿呀？"
不管摸哪里，都松松软软的。
不管拉什么，都能拉得长长的，
然后又嗖的一下弹回去。
"啊哈，原来这里是橡胶王国呀！"

◎ 橡胶：

橡胶一词来源于印第安语 cau-uchu，是"流泪的树"的意思。天然橡胶就是由三叶橡胶树割胶时流出的胶乳经凝固、干燥后而制得。它在室温下富有弹性，在很小的外力作用下能产生较大形变，除去外力后能恢复原状。常见的橡胶制品有气球、橡皮擦、橡皮筋、轮胎、橡胶手套、电缆等。

在橡胶王国里，嘟嘟发现了一个滑梯。
她想玩滑梯，可是滑梯的楼梯竟然是摇摇晃晃的，
滑梯也歪歪扭扭的，根本不好玩。
嘟嘟噘着小嘴，一脸不悦：
"这是什么呀，这么软，根本没法滑嘛。"
原来，橡胶王国里的所有东西都是软塌塌的。
嘟嘟想："必须要有坚硬的东西才行。"
于是，嘟嘟离开了橡胶王国，去寻找另外的理想世界。

◎橡胶的特性：

弹性是橡胶最基本的特性，这是由橡胶的分子结构决定的。橡胶的分子链很长，柔韧性也很好，相互之间的作用力小。当受到外力时，分子链网络就会发生形变，当外力去除后，分子链网络就会恢复。因为橡胶具有弹性，所以橡胶王国的东西摸起来、用起来都感觉软塌塌的。但如果形变太大或形变时间太长，分子链都断了，就不能恢复原样了，这就产生了永久形变。我们可以做一个试验，把橡皮筋拉长固定，一段时间后，橡皮筋就被拉松了，不能完全恢复原样了。

嘟嘟飞了好久，
终于看到了一个五彩缤纷的世界。
"哇，这里是塑料王国呀！"
塑料王国里的东西摸起来硬硬的，
而且色彩绚丽，重量也轻。
嘟嘟对塑料王国非常满意。

10

◎塑料有哪些特性？

塑料主要有以下特性：大多数塑料质量轻，化学性稳定，不
会锈蚀；耐冲击性好，不易碎；具有较好的耐磨耗性；一般
容易成型和着色，加工成本低；绝缘性好，导热性低等。

"哎哟，肚子好饿呀！要不煮点儿汤喝吧。"

嘟嘟把塑料锅放在火上想煮汤。可接下来的一幕却让嘟嘟大惊失色。塑料锅刚放到火上就开始变形了。

"哎呀，塑料遇火变形呀！那么什么东西遇火不变形呢？"

嘟嘟觉得塑料王国也不适合生活，再次踏上了找寻理想世界的旅途。

◎塑料遇火为什么会变形？

塑料是一种非晶体，非晶体没有固定的熔点，所以当从外界吸收热量时，便由硬变软，最后变成液体。非晶体通常有软化点。软化点是指物质软化的温度，主要指的是无定形聚合物开始变软时的温度。一般塑料的软化点与家用灶火的温度相比，是比较低的。所以，把塑料锅放在火上，很容易就软化了，从而会发生变形的情况。

"哎哟，好累！饿得都飞不动啦。"嘟嘟终于飞到了铁王国。

铁王国里的东西比塑料王国的更加坚硬。

而且铁做成的锅，即使放到灼热的火上，也毫发无损。

"哈哈哈，铁王国最好了！"

嘟嘟煮好美味可口的汤，心满意足地大口喝着。

看来，铁王国特别合她的心意。

◎铁锅为什么适合烹饪？

铁锅是我们烹饪食物的传统厨具，它熔点较高，耐热性强，一般不含有毒物质，不会氧化。传统铁锅分生铁锅和熟铁锅两种。生铁锅是浇模铸造，耐高温，比较重，热力平均，不易糊底粘锅，煮出来的食物美味可口。熟铁锅是人工打造的，传热快，锅身轻但容易变形，不如生铁锅耐用。

"啊哈，好困呀！得睡会儿才行。"

嘟嘟发现了一个铁娃娃，准备抱着睡觉。

"啊，好凉！这也太硬了点儿吧！

而且抱着这么重的铁娃娃，胳膊都酸疼了。"

嘟嘟觉得抱着铁娃娃睡觉可不是一个好主意。

"没有重量轻一点儿的东西吗？"

嘟嘟又扑扇着她轻盈的翅膀，向下一个王国飞去。

◎铁娃娃为什么会很重？

因为铁的密度是 7.86g/cm³，密度较大，质量也比较重。1 立方米的铁就有 7.86 吨重，也就是说，1 毫米厚的薄铁板 1 平方米的重量是 7.86 千克。

"呃，好香，哪儿来的香气？"
嘟嘟深吸了一口气。
原来她来到了树木王国。
树木王国里的东西
既不像铁制品那样坚硬，
又不像橡胶那样柔软，
重量很轻，
也不冷冰冰的。
来到树木王国，
就如同身处清新葱翠的树林，
感觉非常宁静，舒服自在。

18

◎木头为什么容易腐烂？

因为木头的主要成分有木质素和纤维素，由于细菌和真菌的作用，木质素和纤维素会发生分解，所以木头就腐烂了。除此之外，阳光、水分、害虫等也会对木头产生一定的破坏作用。

“飞了这么久，翅膀也变得脏兮兮的，
先来洗洗灰尘吧。”嘟嘟自言自语道。
于是，她拧开木头做的水龙头，
可是一用力，水龙头就被拧断了。
嘟嘟觉得很纳闷，四下里一看，
发现树木王国到处都是腐烂的痕迹。
“哎呀，这算怎么回事儿，全都腐烂啦！”
嘟嘟噘着小嘴，马上就要哭了。
“这里不是我想要的，
我要去一个没有腐烂的地方！”
说完，嘟嘟毫不留恋地离开了树木王国。

"哎哟，太耀眼了！"
这一次，嘟嘟飞到了闪闪发光的玻璃王国。
玻璃王国里的东西全都是透明的，
既不会腐烂，也不会有什么变化。
"原来玻璃王国是
最适合生活的地方啊！"
嘟嘟高兴得欢呼雀跃。

◎ 玻璃为什么是透明的？

大多数液体和气体是透明的，比如水、外用酒精、空气、天然气等。这是因为液体、气体的分子间的联结强度低，分子呈随机状态排列，光就可以透过液体和气体。而在大多数固体中，分子排列得像一层层整齐紧密的砖块，光就无法从中透过，而是被反射、散射或吸收。物质中的分子排列越是无序，光就越容易穿过。

玻璃为什么是透明的？主要是因为玻璃的制造过程。在玻璃制造中，用作冷却剂的材料可以使玻璃分子的排列像液体一样呈无序状态，其所含电子不吸收可见光的光子能量，光可以穿过玻璃，这就是为什么同样是固体，但玻璃透明而木头、金属等不透明的原因。

23

就在嘟嘟乐得合不拢嘴的时候，
一个玻璃球滚到了嘟嘟的脚下。
嘟嘟兴奋得用脚砰的一下踢了出去。
哐当！"啊！怎么回事？"嘟嘟大感意外。
玻璃球和玻璃墙竟然一瞬间都变成了碎片。
"什么嘛！原来玻璃王国这么容易碎啊！"

◎玻璃为什么容易碎？
一般的玻璃容易碎，是因为其结晶成的晶粒粗大，相互间的结合不紧密，遇到撞击等外力作用时，很容易在晶体结构方面发生松动，裂纹也容易扩展。经过特殊处理而制成的钢化玻璃，就不那么容易碎了。

"世界上最适合生活的王国到底在哪里呢？"
嘟嘟绞尽脑汁地想着。

"哇，我有一个好主意！
世界上最适合生活的王国，我可以自己创造嘛。"
嘟嘟决定使用她的怦怦心跳魔法来创造一个理想世界。
"嘟嘟哒哒，怦怦心跳，快快实现！呀！"

26

我们来看看嘟嘟创造的理想世界吧。
这个王国里各种材质的东西一应俱全，
既有橡胶、塑料、铁做的东西，
又有木头、玻璃做的东西。
嘟嘟心满意足地笑了。
"这才是最适合生活的王国呀！"

28

我想探索更多

◎ 塑料

塑料是以单体为原料，通过加聚或缩聚反应聚合而成的高分子化合物，可以自由改变成分及形体样式，由合成树脂及填料、增塑剂、稳定剂、润滑剂、色料等添加剂组成。塑料的主要成分是树脂，树脂是指尚未和各种添加剂混合的高分子化合物。树脂约占塑料总重量的 40% ~ 100%。常见的塑料制品有矿泉水瓶、玩具、保鲜膜等。

◎ 铁

铁是一种化学元素，为晶体。晶体是有明确衍射图案的固体，其原子或分子在空间按一定规律周期重复地排列。铁是最常用的金属，是地壳含量第二高的金属元素。铁制物件发现于公元前 3500 年的古埃及。它们包含 7.5% 的镍，表明它们来自流星。3500 年前，古代小亚细亚半岛（也就是现今的土耳其）的赫梯人是第一个从铁矿石中熔炼铁的。

铁金属常用高炉以焦炭为燃料、用铁矿石和石灰石为原料炼得。含碳在 2.11% 以上的铁叫作生铁（或铸铁）。含碳量少于 0.02% 的铁熔合体称为熟铁或锻铁。含碳量介于 0.02% ~ 2.11% 之间的铁合金叫作钢。

◎ 玻璃

玻璃是由沙子和其他化学物质熔融在一起形成的，主要生产原料为纯碱、石灰石、石英。沙子和其他化学物质在熔融时形成连续网络结构，冷却过程中黏度逐渐增大并硬化致使其结晶的硅酸盐类非金属材料，就是玻璃。玻璃是一种无规则结构的非晶态固体，广泛应用于建筑物，用来隔风透光。另有混入了某些金属的氧化物或者盐类而显现出颜色的有色玻璃，和通过特殊方法制成的钢化玻璃等。

◎ 钢化玻璃

钢化玻璃是将普通退火玻璃先切割成要求尺寸，然后加热到接近软化点 700 摄氏度左右，再进行快速均匀的冷却而得到的。通常 5~6 毫米的玻璃在 700 摄氏度高温下加热 240 秒左右，降温 150 秒左右；8~10 毫米的玻璃在 700 摄氏度高温下加热 500 秒左右，降温 300 秒左右。玻璃厚度不同，选择加热降温的时间也不同。钢化处理后玻璃表面形成均匀压应力，而内部则形成张应力，使玻璃的抗弯和抗冲击强度得以提高，其强度约是普通退火玻璃的 4 倍以上。

◎ 熔化和凝固

熔化是指对物质进行加热，使物质从固态变成液态的过程。它是物态变化中比较常见的类型。熔化需要吸收热量，是吸热过程。蜡烛点火之后就会流出蜡油来，铁能在滚热的炼铁炉里变成铁水，这都是熔化现象。

熔化的逆过程是凝固。液体水冷冻以后会变成冰，铁水放在模具里冷却后就变成了坚硬的铁，像这种液体变成固体的现象叫作凝固。点燃蜡烛，流出的蜡油也会渐渐冷却凝固，这也是液体变成固体的凝固现象。

◎ 熔点

晶体有一定的熔化温度，叫作熔点，在标准大气压下，与其凝固点相等。晶体吸热温度上升，达到熔点时开始熔化，此时温度不变。晶体完全熔化成液体后，温度继续上升。熔化过程中晶体是固、液共存状态。熔点是晶体的特性之一，不同的晶体熔点是不同的。

非晶体没有一定的熔化温度。非晶体熔化过程与晶体相似，只不过温度持续上升，需要持续吸热。

闹鬼的房子

动次打次，快快抓住它

三兄弟与三只恶魔

奔跑吧，电子！

面包诞生记

任性国王抓"坏蛋"

超级犯人抓捕行动

马蹄形磁铁小姐找新郎

会变魔法的蛋黄侠

拯救灰星球的罗里里

小仙女的理想世界

爱帮忙的熊

比一比，谁跑得最快？　　　谁是今年的圣诞老人？　　　哎呀！全都掉到地上啦　　　土豆博士的杂技表演

"从小爱" 系列
更多好书 与你分享

4—7岁亲子共读，7—10岁自主阅读

从小好习惯（全28册）

关注孩子不吃饭、怕打针、爱哭闹、买玩具无节制等28个棘手问题，让孩子笑着养成好习惯，拥有健康身心和完善人格。好习惯成就好未来！

从小好身体（全9册）

做最健康的自己——崔玉涛首推健康教育绘本《从小好身体》！家长学习育儿保健，孩子认识可爱身体，一举两得。

从小爱音乐（全18册）

最全面、最权威、最美的古典音乐启蒙丛书。8册经典音乐故事画本，5册音乐大师传记画本，5册乐器知识画本，9张世界顶级交响乐团演奏原声CD，引领孩子找到最感兴趣的音乐方向。

从小爱科学·小口袋大世界（全40册）

世界经典畅销儿童科学读物，美国纽约科学院儿童科学读物奖，中国科技馆原馆长王渝生推荐。散文诗般的语言、艺术品般的插画讲述动物、植物、天文、地理、人体、人类文明、科技发展等广博知识。

从小爱艺术（全3册）

探访艺术大师的足迹，欣赏殿堂级艺术作品的风姿，边看边学做个小艺术家。让孩子的艺术鉴赏力获得全方位提升，激发他们无限的创意与灵感！

33

图书在版编目（CIP）数据

小仙女的理想世界 /（韩）柳慧仁著;（韩）郭载然绘;王国英译.
— 长沙：湖南少年儿童出版社，2015.11
（从小爱科学.有趣的物理）
书名原文：Little Fairy's Ideal World
ISBN 978-7-5562-1743-4

Ⅰ.①小… Ⅱ.①柳… ②郭… ③王… Ⅲ.①物理学—少年读物 Ⅳ.① O4-49

中国版本图书馆 CIP 数据核字（2015）第 262216 号

小仙女的理想世界

策划编辑：周　霞　　　责任编辑：罗晓银
封面设计：陈　筠　　　质量总监：郑　瑾
版式设计：嘉伟文化 JARL.V CULTURE

出版人：胡　坚
出版发行：湖南少年儿童出版社
地址：湖南长沙市晚报大道89号　邮编：410016
电话：0731-82196340（销售部）82196313（总编室）
传真：0731-82199308（销售部）82196330（综合管理部）
经销：新华书店
常年法律顾问：北京市长安律师事务所长沙分所　张晓军律师

印制：长沙湘诚印刷有限公司（长沙市开福区伍家岭新码头95号）
开本：889mm×1194mm　1/24　　印张：1.5
版次：2015年11月第1版
印次：2016年10月第5次印刷
定价：8.00元